D0474886

MICHEL TOURNIER
JEAN-MAX TOUBEAU

LE VAGABOND IMMOBILE

GALLIMARD

Pendant des mois, j'ai reçu la visite de Jean-Max Toubeau. Il arrivait avec ses cartons, ses gommes et ses crayons, et entreprenait de croquer tout ce qui se présentait, chat, enfants, maison, jardin, et moi bien entendu. Ce petit livre est né de ces rencontres où l'immobilité du corps, à laquelle il m'obligeait, se compensait par des vagabondages de l'esprit et de la plume à travers mes souvenirs, mes réflexions et mes lectures.

M.T.

Le bébé des voisins n'a que quelques semaines. Il pleure sans arrêt, jour et nuit. Au plus noir des ténèbres, cette petite plainte grêle me touche et me rassure. C'est la protestation du néant auquel on vient d'infliger l'existence.

C'est le presbytère d'un minuscule village de la vallée de Chevreuse. Si je devais définir ses qualités les plus évidentes, je dirais : jalousie et entêtement. Après l'avoir traité quelques années en résidence secondaire, je m'y suis installé, comme on épouse une maîtresse. Depuis, ce sont bien des relations de type conjugal que j'entretiens avec cette grosse maison, honnête, sans fantaisie, posée à côté de l'église, et somme toute rassurante. Après vingt-cinq années de vie commune, sa jalousie n'a pas désarmé. Dès que je pars en voyage, il commence à s'y produire des accidents inexplicables : chutes de cadres, fuites d'eau, carreaux cassés, etc. Aussi se rappelle-t-elle à moi à travers les mers et les continents par des hantises abominables. Parfois de Vancouver, Bombay ou Bobodioulasso, je téléphone en catastrophe aux voisins, à des heures indues qu'explique le décalage horaire. Ils me répondent surpris. Mais non, tout va bien, il n'y a eu au presbytère ni incendie, ni cambriolage, et le village n'a pas été rasé par un séisme. Je raccroche à demi rassuré.

L'intérieur, je l'ai sécrété autour de moi en 25 × 365 = 9 125 jours, comme un escargot sa coquille. Sa complexité, son désordre, ses absurdités ne sont que l'envers de ma simplicité, de mon ordre, de mes raisons. Mais il ne peut être question de chambardements, de planchers surélevés, de murs de diverses couleurs, de sauna, de salle de bronzage. Pourtant, ce ne sont pas les pièces qui manquent. Un jour, j'ai fait venir l'un de ces messieurs qui d'un coup de baguette magique vous transforme votre cuisine en hutte finlandaise, ou en cabine de vaisseau spatial. Il a eu un regard circulaire de plus en plus navré, et il est reparti en secouant la tête.

Parfois il me vient une velléité de rupture, de libération. Vendre, tout bazarder, jeter des tonnes de vieilleries, et toutes les habitudes avec elles. Quel grand coup de jeune cela me donnerait ! Et puis à y songer de plus près, autant vouloir s'amputer d'un bras ou d'une jambe ! Ma maison et moi : un vieux couple soudé par la routine, pour toujours...

Petit film de la télévision allemande dans mon jardin. Soudain nos propos sont accompagnés par un bruit de bêche. Je dis en montrant le mur qui nous sépare du cimetière : « Écoutez ! C'est un bruit métaphysique ! C'est notre fossoyeur qui creuse une tombe... »

Carmen à la télévision. Damien (neuf ans) suit parfaitement l'intrigue. Amour, jalousie, etc., tout lui semble familier. C'est une algèbre dont il connaît les termes et les ressorts. Mais interrogé plus avant sur ces sentiments, il avoue qu'ils ne correspondent à aucune expérience de sa part. Le discours amoureux est ainsi inculqué aux enfants comme un moule vide dans lequel ils n'auront plus, le moment venu, qu'à couler leurs sentiments. Il y a sans doute une période intermédiaire où les sentiments vécus ne sont pas identifiés par l'enfant et tardent à remplir le moule. Jusqu'au jour où dans une illumination, l'enfant se dit : ah, c'est donc cela l'amour !

Quant à moi, je sais bien qu'à l'âge de Damien je n'avais plus grand-chose à apprendre des joies ni surtout des peines du cœur. Tout s'est joué pour moi à l'âge dit « de raison », ensuite ma psychologie s'est fixée de façon définitive, de telle sorte qu'une maturité monstrueusement précoce s'est muée peu à peu en une immaturité inguérissable. Je m'en sers comme d'un balcon du haut duquel je regarde avec ironie et nostalgie passer les couples.

Émission en direct à la télévision. Si je fais une conférence devant trois cents personnes, je suis impressionné par tous ces yeux, ces oreilles, ces esprits dont je suis l'objet. À la télévision, les quelque cinq millions de personnes qui me voient et m'entendent sont proprement inimaginables. Si j'en avais une image même vaguement approximative, je m'effondrerais, je volerais en éclats.

Chêne. De l'autre côté du mur, un chêne triple, invisible il y a vingt-cinq ans, pousse ses trois troncs, élargit ses trois frondaisons, menace de bousculer la maçonnerie trop proche.

Ce matin, pour la première fois, j'observe un écureuil dans ses branches. Le chêne et l'écureuil. En allemand, l'écureuil se dit *Eichhörnchen*, c'est-à-dire « petite corne du chêne ». Encore faut-il que le chêne ait atteint une certaine maturité pour mériter son écureuil. L'écureuil est le poil du chêne, et n'apparaît qu'à l'époque de sa puberté.

Toute la journée, les visites se sont succédé. Puis la nuit tombe, et il n'y a plus personne. Me voilà seul jusqu'à demain. Avec une joie mêlée d'angoisse, je me prépare à cette traversée de la nuit qui aura ses illuminations, ses pleurs, ses longs glissements dans la paix du corps, les fantasmagories des rêves et la douceur meurtrie des rêveries. C'est un voyage immobile où tout peut arriver, l'ange de la mort et celui qui donne l'étincelle créatrice, la lourde et noire déesse Melancholia et l'appel au secours d'un ami ou d'un voisin. Ma solitude nocturne est l'autre nom d'une immense attente qui est celle aussi bien du dormeur que du veilleur.

Chat. On n'est pas plus sédentaire. Sacha est comme l'âme de la maison. Son adaptation à tous ses coins et recoins est confondante. Il peut disparaître à volonté et demeurer totalement introuvable, et soudain, il est à nouveau là, et quand je lui demande : « Mais enfin, où étais-tu ? » il lève vers moi ses yeux d'or pour me répondre : « Moi ? Mais je n'ai pas bougé ! » On devrait créer pour lui la notion de suradaptation, parce qu'il offre le spectacle du plus déchirant malheur si d'aventure on prétend l'emmener ailleurs. Pour un chat, un voyage est une catastrophe, un déménagement c'est la fin du monde. Quelle leçon me donne son enracinement total ici même !

Cela va loin, très loin. Mais pas plus loin en vérité que l'autre côté du mur. Cet autre côté, c'est le cimetière du village. La voilà bien l'absolue sédentarité ! Affinité troublante des mots : maison-musée, terre-cendre, jardin-cimetière. Kierkegaard = jardin d'église = cimetière. Et ces deux aspects du temps : d'un côté le temps linéaire de l'histoire pleine de cris et de fureurs, toujours nouvelle et imprévisible, de l'autre le temps saisonnier, circulaire, comme le cadran de l'horloge, fermé, car l'événement n'entre pas dans la ronde éternelle des saisons avec leurs quatre couleurs : verte, bleue, rousse et blanche.

P.-S. Sacha est de l'espèce dorée que les Chinois élevaient pour sa fourrure. On m'a mis en garde contre les amateurs de pelage de cette qualité qui pourraient bien un jour — ou une nuit — lui « faire la peau ».

En rentrant je trouve un petit vieux dans mon jardin. Il s'excuse de son sans-gêne, mais c'est qu'il a habité ma maison il y a cinquante ans. Il me révèle que l'eau du puits située à une bonne dizaine de mètres au-dessous du cimetière est polluée par les cadavres en décomposition. Je le fais entrer. Il trouve tout plus grand que de son temps. C'est sans doute l'effet de son ratatinement.

G. Flaubert : *Essuie tes pauvres yeux, et garde-les, non pour pleurer, mais pour voir. Car tout est là : voir. Tout est là pour comprendre, et c'est de comprendre surtout qu'il s'agit. Si tu voyais mieux, tu souffrirais moins et tu travaillerais plus.*

Depuis deux jours, il fait sec et froid. Grand soleil. Chaque matin une belle chouette beige et blanc se pose en évidence sur une branche du sapin et semble prendre un bain de soleil. Nullement craintive. Je l'approche et la photographie. Elle tourne vers moi son visage plat et rond comme un disque de plumes, puis le détourne lentement, comme m'ayant accordé toute l'attention que je mérite.

Évangile selon saint Jean, le métaphysicien. « Au commencement était le Verbe... » Naissance métaphysique qui remplace la Nativité de saint Matthieu. Le logos, les eaux et la lumière remplacent la crèche, le bœuf et l'âne. Généalogie verticale : Jésus ne descend pas de David, mais du Verbe. Ensuite, c'est le témoignage de Jean-Baptiste, et c'est la même chose, mais devenue visuelle : « J'ai vu l'Esprit descendre du ciel comme une colombe, et il est demeuré sur lui. »

Pierre P. me dit : « Ma mère est morte depuis vingt ans. Or non seulement je l'aime toujours, mais elle continue aussi à m'aimer. C'est ainsi que je survis. »

Nuages. Comment était cette terre il y a deux mille, dix mille ans, il est difficile de l'imaginer. Une vaste et moutonnante forêt sans doute. Du moins peut-on penser que le ciel, lui, n'a pas changé et qu'il est tel avec ses bleus, ses vapeurs et ses nuages que le voyaient nos plus lointains ancêtres. Est-ce bien sûr ? Car si les nuages n'ont pas changé depuis des millénaires, le regard des hommes s'est chargé de pouvoirs bien différents. S'agissant d'un milieu aussi fertile en créations religieuses et mythiques que le ciel, et aussi plastique à l'imagination, comment savoir ce que voyaient l'homme médiéval, l'homme antique, l'homme préhistorique en levant les yeux ?

Expérience. Le malheur, c'est que l'homme n'a pas assez de toute sa vie pour apprendre à vivre, et ce que j'apprends à cinquante ans m'est certes très utile à cinquante ans, mais m'aurait été encore bien plus utile quand j'avais vingt ans.

Je dis à J.J. : « Je songe depuis deux mois à un petit voyage au Maroc, mais il fait si beau ici que je ne me résous pas à partir. » Elle me répond : « Depuis deux mois, il ne cesse de pleuvoir. Faut-il que vous ayez été heureux pour avoir vu du beau temps ! » Ai-je vraiment été heureux à ce point ?

Aimer d'amour plusieurs personnes dont aucune ne vous comble, mais qui composent ensemble un bonheur pluriel, désordonné, tumultueux, inquiet — d'une inquiétude certes moins massive et menaçante que celle qu'inspire l'amour d'une seule personne. C'est peut-être la sagesse. Mettre son cœur dans plusieurs paniers. Les réunir dans une délicieuse complicité dont je serais le centre. Une bonne variante consisterait à être amoureux en bloc de toute une famille, aussi nombreuse que possible, et de m'en faire adopter.

Téléphone. Savoir maîtriser cet outil indispensable et tyrannique. Mon ami Wladimir Z. y est passé maître. Il prétend par exemple reconnaître l'identité de la personne qui l'appelle à la quantité et à la qualité de la sonnerie. Il faut le voir quand le téléphone sonne : il s'immobilise comme frappé de stupeur et vous impose le silence. Le visage levé vers les moulures du plafond, l'air inspiré, il prononce quelques noms, hésite, tâtonne, revient, enfin brusquement tranche pour untel ou unetelle. Et bien entendu décide aussitôt de ne pas décrocher, car il a horreur qu'on lui fasse la violence de s'introduire chez lui de la sorte.

Sa grande affaire, ce sont les liaisons féminines purement téléphoniques qu'il mène de front. Il choisit une victime — qu'il ne connaît bien sûr pas directement — et lui téléphone une première fois, de préférence en pleine nuit. Puis il s'excuse comme d'une erreur, mais ne raccroche pas sans avoir prononcé quelques mots propres à intriguer sa correspondante. Un autre jour, il rappelle à une heure savamment choisie et poursuit ainsi son œuvre d'*intrigue*. Enfin si l'entreprise réussit, il affole peu à peu sa victime et finit par nouer avec elle une étrange amitié amoureuse, mystérieuse, mystique, nourrie par des entretiens nocturnes de plusieurs heures parfois, pleins de confidences, silences, déclarations, obscénités, etc. Deux règles absolues : ne jamais mentir (car le mystère ne doit pas dégénérer en mystification. D'ailleurs la farce téléphonique n'est que le pressentiment caricatural par le vulgaire des jeux sublimes de Wladimir Z.). Et ne jamais chercher à connaître sa partenaire autrement que par le truchement téléphonique. C'est souvent sur cette seconde exigence que se brisent ses liaisons les plus longuement et amoureusement mûries. Il m'avoue n'avoir pas encore trouvé la complice idéale qui se contente indéfiniment de satisfactions purement téléphoniques, et veuille bien admettre qu'elles ne sont en rien une étape vers des relations plus palpables.

... Et tous l'abandonnèrent et prirent la fuite. Or un jeune garçon le suivait, enveloppé d'un drap sur son corps nu, et les soldats l'arrêtèrent. Mais il lâcha le drap et s'enfuit nu de leurs mains (Évangile selon saint Marc, XIV, 51).

Ce jeune garçon, c'était toi, Marc, et c'est pour cela que tu es le seul évangéliste à rapporter cet épisode discrètement érotique et humoristique du moment le plus tragique de la vie de Jésus, son arrestation au Jardin des Oliviers. Tous les autres ont fui, et, jeune garçon nu sous un drap, tu demeures seul avec Lui... Pour le reste, tu nous laisses le soin, deux mille ans plus tard, d'imaginer le comment, le pourquoi. Donc tu étais le seul des douze qui habitât Jérusalem. Ta maison était même à proximité du Jardin des Oliviers. Les onze et Jésus ayant décidé de nuiter dans leur manteau, sous les arbres, toi, tu regagnes ta chambre. Mais voici qu'au milieu de la nuit, tu es éveillé par le piétinement d'une troupe sous ta fenêtre. Il y a des cliquetis d'armes, des torches font danser des lueurs fantasques au plafond. Tu te précipites à ta fenêtre. La troupe envahit le jardin. Tu penses à tes camarades, à l'Ami Suprême que tu suis depuis des années. Sans prendre le temps de t'habiller, tu t'enveloppes dans l'un des draps de ton lit, et tu te jettes dehors. La suite, tu l'as racontée.

Reste le lit déserté, bouleversé, labouré de plis, sculpture molle qui garde le souvenir en creux de tes rêves et de tes angoisses en cette nuit tragique du premier Vendredi Saint de notre ère.

P.-S. Je montre ces lignes à K.F. qui sait le grec moderne. Il m'objecte que les « lits » du temps de Jésus-Christ ne ressemblaient certainement pas aux nôtres, et que parler à leur propos de « draps » est sans doute anachronique. Je consulte le texte grec original. Le mot employé est *sindona* pour lequel le Bailly donne : *voile de lin*, *mousseline*, *laine fine*, mais pas *drap*. Pourtant K.F. me dit que c'est le mot employé aujourd'hui par les Grecs pour *drap*.

Saint Paul, Épître aux Romains : *Rien n'est impur en soi. Néanmoins si quelqu'un estime qu'une chose est impure, elle est impure pour lui. Nous devons, nous qui sommes forts, supporter les faiblesses de ceux qui ne le sont pas.*

Jalousie. Il y a celle de Kant et celle de Spinoza. Il y a la jalousie sociale faite d'amour-propre et de sens de l'honneur qui agit comme un impératif catégorique. Le mari ou l'amant bafoué qui se venge fait son devoir d'homme, et la société l'absoudra du crime auquel elle l'a poussé. A l'opposé, Spinoza définit la jalousie comme la souffrance de l'homme contraint d'associer à l'image du corps de la femme qu'il aime celle des parties sexuelles d'un autre homme. Là c'est une affaire de peau et de sueur. Spinoza parle aussi de la jalousie des pigeons, soulignant par là le côté instinctif de ce sentiment. Affaire tantôt d'honneur, tantôt d'odeur.

Bernard Shaw : *Ne faites pas aux autres ce que vous voudriez qu'ils vous fassent, car rien ne vous prouve qu'ils aient les mêmes goûts que vous.*

Pour vivre à deux, il importe encore plus de bien dormir ensemble que de bien coucher ensemble.

Comme on pensait jadis aux U.S.A. qu'il n'y a de bon Indien qu'un Indien mort, il est couramment admis qu'il n'y a de bonne sexualité que la chasteté.

Ce n'est pas une raison parce que j'ai une poutre dans l'œil pour que je ne dénonce pas la paille qui est dans l'œil de l'autre.

Mes relations d'amour-haine avec lá religion assez bien matérialisées par cette église, mon église, massive et maternelle, posée l'air protecteur à côté de ma maison, comme une poule accroupie près de son poussin. Il y a un projet qui consisterait à décorer ses murs de fresques consacrées aux Rois Mages, puisque c'est à l'ombre de son clocher que j'ai écrit *Gaspard, Melchior & Balthazar.* Ce serait peut-être la seule église au monde dédiée aux Rois Mages.

Et cependant... A un journaliste en visite, je montre le haut du clocher. « Savez-vous pourquoi les églises catholiques arborent à leur sommet une croix et un coq ? La croix symbolise la mort de Jésus, seul événement qui compte aux yeux des catholiques. La résurrection, ils l'oublient. Elle contrarie leur nécrophilie invétérée. Depuis des millénaires, des colonnes de pèlerins viennent adorer un tombeau dans la crypte d'une église de Jérusalem. Ils ne veulent pas savoir qu'il est vide. Quant au coq, il rappelle le triple reniement de saint Pierre, fondateur de l'Église, et ancêtre de tous les prêtres. Chaque fois que le curé monte en chaire, le coq du clocher fait cocorico pour annoncer le nouveau reniement qui se prépare. »

De l'autre côté du mur : enterrement. Je devrais peut-être vendre des chrysanthèmes et des couronnes de perles. Ou mieux, faire aubergiste. Les grosses ripailles qui suivent les funérailles ne sont pas seulement une tradition rurale. Elles correspondent à un étrange état d'esprit provoqué par un deuil cruel. Il s'agit d'une sorte d'ébriété légère, parfois même gaie, absolument inavouable, comme si la nature nous saoulait par quelque poison bienfaisant pour nous éviter de trop souffrir.

Cette sorte d'anesthésie naturelle joue pour moi en d'autres circonstances. Si je fais le compte des amis et amies perdus en X années, il y a certes de quoi être accablé. Et là, je ne parle plus des morts. Ceux-là, ils ne sont pas vraiment perdus, car je continue — et pour toujours — à leur parler en les berçant dans mon cœur. Non, je pense aux partis, aux oubliés, aux oublieux, aux engloutis dans les remous de l'existence. Et là, une constatation s'impose, toute personnelle, exceptionnelle peut-être, mais ce n'est pas sûr. Ces amis perdus, jamais, jamais, jamais je n'ai su, quand je les voyais pour la dernière fois, que c'était la dernière fois que je les voyais. Le phénomène est si régulier, si totalement exempt d'exception que j'en viens à croire à un mécanisme automatique de ma vie. La scène de rupture, celle des adieux-pour-toujours relèvent d'un théâtre médiocre et sont fatalement suivies de raccommodements, car il ne nous appartient pas de trancher à la place du destin. « Cette amie, cet ami, semble me dire la vie, tu ne les reverras plus. Mais pourquoi introduire un pathétique inutile dans tes relations ? Deviens donc pour un moment aveugle, sourd et obtus. Il sera bien temps plus tard de t'apercevoir que tu as perdu quelqu'un. Et oublie même le jour et l'heure de votre dernière rencontre, si bien que plus rien ne restera en ton esprit de cet effacement, aucune cicatrice ne marquera le souvenir de cet être. »

Ombre. Le chemin de la vie va d'est en ouest. L'enfant marche le dos au soleil levant. Malgré sa petite taille, une ombre immense le précède. C'est son avenir, caverne à la fois béante et écrasée, pleine de promesses et de menaces, vers laquelle il se dirige, obéissant à ce qu'on appelle justement ses « aspirations ».

À midi, le soleil se trouvant au zénith, l'ombre s'est entièrement résorbée sous les pieds de l'adulte. L'homme accompli s'absorbe dans les urgences du moment. Son avenir ne l'attire ni ne l'inquiète. Son passé n'alourdit pas encore sa marche. Il ignore la nostalgie des années défuntes, comme l'appréhension du lendemain. Il fait confiance au présent, son contemporain, son ami, son frère.

Mais le soleil basculant vers l'occident, l'ombre de l'homme mûr naît et croît derrière lui. Il traîne désormais à ses pieds un poids de souvenirs de plus en plus lourd, l'ombre de tous ceux qu'il a aimés et perdus s'ajoutant à la sienne. D'ailleurs, il avance de plus en plus lentement, et s'amenuise à mesure que grandit son passé. Un jour vient où l'ombre pèse au point que l'homme doit s'arrêter. Alors il disparaît. Il devient tout entier une ombre, livrée sans merci aux vivants.

Mon œuf et moi. On entend souvent dire que la carte de la terre ne comprend plus aucune zone blanche, que notre planète se trouve désormais totalement explorée, fouillée, recensée, et que c'est bien triste parce que la découverte et l'aventure sont devenues impossibles. J'écoute ce genre de discours d'une oreille distraite, car de l'autre oreille j'entends mille rumeurs venues de mon jardin et de mon village, si peu connus l'un et l'autre, si mal explorés, fouillés, recensés l'un et l'autre qu'une vie n'y suffirait pas. Et puis j'ai sous mon bonnet un gros œuf gris et blanc qui constitue à lui seul un continent, mieux une planète, mieux un système solaire dont l'exploration à peine entreprise nous invite au voyage le plus formidable, le plus vertigineux.

Ce voyage, la neurologie nous y invite, mais en même temps, elle le sème d'écueils. Par exemple, le vieillissement. J'ai inauguré mes premières lunettes il y a peu de temps. Or voici qu'on m'annonce des nouvelles concernant mon cerveau tout à fait alarmantes. Ses cellules, me dit-on, ne se renouvellent pas, et elles meurent à raison de dix mille par jour. Et cela depuis ma naissance. Bref mon œuf gris et blanc fond sur ma tête, comme neige au soleil. Einstein disait : « Pour marcher au pas, point n'est besoin de cerveau, la moelle épinière suffit. » Est-ce à dire que bientôt je ne marcherai plus qu'au pas ?

Alors là, je me rebiffe. Marcher au pas ? Je l'ai assez fait dans mon enfance. Comme beaucoup de jeunes, j'adorais les clans, les embrigadements, les mots d'ordre. Et puis, *en vieillissant*, j'ai commencé à secouer tout cela. J'ai balancé par-dessus bord les familles et les idéologies. J'ai cessé d'avoir peur de la solitude, de l'indépendance, des risques impliqués nécessairement par l'invention. Et à quarante ans, je me suis mis à écrire des livres, des livres que j'aurais été bien incapable de seulement imaginer quand j'avais vingt ans. Alors je dis : le cerveau tout neuf du bébé, oui. Mais l'apprentissage, l'expérience, la recherche tâtonnante, patiente, étendue sur toute une vie, cela compte aussi. Il y a d'abord le donné, et avec cela, on construit, on se construit.

Dictionnaire : « *Matrice* : viscère où a lieu la conception. » À noter que cette définition convient aussi parfaitement au cerveau.

Enfant. Damien, neuf ans, en larmes parce qu'il vient de laisser tomber la clef de la maison à travers la grille de l'égout. On soulève ladite grille, et, ô miracle ! on découvre tout un trésor : deux clefs, un sifflet à roulette, des pièces de monnaie...

Votre idéal de bonheur ? Élever un enfant génial. Voir naître et s'épanouir ses dons éclatants. Pour toute œuvre littéraire, tenir le journal de ses progrès. Fondre en un seul sentiment tendresse et admiration.

Évangiles. Un point capital qui n'a pas été élucidé : lors de la Cène, Jésus boit-il lui aussi son propre sang, mange-t-il sa propre chair ?

Enfant. G.T., enseignant, me raconte qu'ayant fait remplir un questionnaire à ses élèves, un enfant africain, noir et silencieux comme l'ébène, a écrit : « Profession du père : roi. »

Le village, ensemble de toitures sèches et géométriques groupées autour du clocher pointu de l'église au milieu d'un tissu de labours humides, mous et gras, comme un fœtus osseux logé au sein du placenta nourricier.

Chat. Sacha passe des heures immobile sur une chaise, contre la fenêtre, par la vitre de laquelle il regarde des oiseaux picorer du grain sur une mangeoire. Plaisir désespérant, âcre fascination d'une faim exaspérée par la proximité de la chose propre à l'assouvir, mais absolument inaccessible. C'est toute notre civilisation faite de vitrines où l'on ne peut « toucher » qu'avec ses yeux. Cette pseudo-morale du « bas-les-pattes » vient tout droit de l'Angleterre victorienne. Le nord de l'Europe est peu à peu envahi par une nouvelle sorte de bordels : le client et la fille sont séparés par une vitre. La fille se contorsionne, s'offre, etc. L'autre se satisfait comme il peut. L'hygiène est sauve, à défaut du reste...

Chez le crémier. J'observe un bon moment un petit personnage de quatorze quinze ans dont je n'arrive pas à déterminer le sexe. Fille ou garçon ? Tout son charme se serait sans doute évanoui si la réponse s'était tout à coup imposée. Beauté incomparable de la fille-garçon et du garçon-fille. Le rire que provoque chez lui, chez elle, la perplexité qu'il-elle fait naître. Jeanne d'Arc, petit page vêtu de gris et de noir, bouleversant Gilles de Rais lors de sa survenue à la cour de Chinon.

Rien de plus beau qu'un visage illuminé par la joie. La gaieté des traits manifestant une explosion de joie intérieure. La face pesante et grise du jeune paysan surpris à la fête foraine devient soudain phosphorescente, parce qu'il y a des flonflons, des manèges, des barbes à papa, parce qu'on va danser, faire la fête.

Enfants. Ils ne connaissent que des relations verticales. Ils regardent soit de haut en bas, soit de bas en haut. L'inégalité est leur mesure habituelle, même entre frères et sœurs, même entre camarades d'école. D'où l'intérêt de l'enfant pour l'animal : il le regarde de haut. L'adulte regarde à sa hauteur, il observe l'horizon, il rêve de démocratie. L'enfant regarde vers la terre ou vers le ciel. Il reçoit des ordres, aime à en donner. Il domine avec bonheur le monde des jouets. Ce qui l'ennuie : des discussions d'adulte, c'est-à-dire des échanges horizontaux sur la politique ou l'amour, etc.

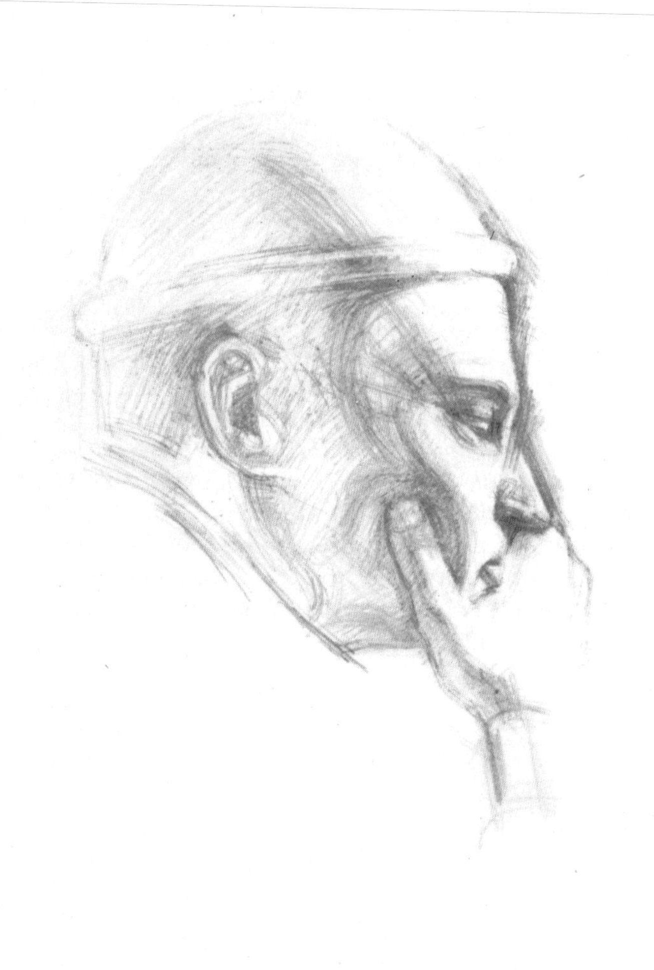

Enfant. Il « boude ». Parce qu'il est admis qu'il vaut mieux laisser un enfant bouder tranquille, on a pris le parti de ne pas s'intéresser au phénomène. Et pourtant ! Il se présente comme un refus généralisé du monde extérieur. Le boudeur ne veut plus rien voir ni entendre. Il s'immobilise, la tête dans les mains ou contre un mur, et ne répond à aucune parole. Sorte de fausse catalepsie dont il sort subitement sur un mystérieux signal, et qui paraît ensuite oubliée, comme frappée d'amnésie. La part de comédie qu'il y a dans la bouderie n'enlève rien à l'intérêt du phénomène.

Le comédien qui a tenu tous les rôles du répertoire cherche ses vêtements dans son armoire et ne trouve que le pourpoint de Don Juan, la tunique de Hamlet, la défroque de Tartuffe, le péplum de Britannicus. Ainsi le romancier peu à peu dépersonnalisé par ses personnages.

R. Kipling : *Une femme n'est qu'une femme, mais un bon cigare, c'est un bon cigare.*

Le prétendu et le soi-disant. À force de se dire génial, on finit par en persuader les autres. Le soi-disant génie est devenu un prétendu génie. À force de s'entendre dire qu'il est mauvais, l'enfant devient délibérément mauvais. Le prétendu mauvais est devenu un soi-disant mauvais. Processus de la caricature assumée, revendiquée : le prétendu bougnoule, pédé, négro, youpin devient un soi-disant bougnoule, pédé, négro, youpin.

Damien (neuf ans) décide de tourner un film avec un copain. Ils discutent scénario, costumes, décors, etc. Mais avant toute chose, ils fabriquent des billets d'entrée pour les spectateurs. Tant il est vrai que l'argent est le nerf de la guerre.

La première fois que je suis allé à l'école, il s'agissait bien entendu d'un cours privé, le cours Saint Louis, qui existe toujours, rue Monceau. J'y allais dans une voiture avec chauffeur en livrée, glace de séparation et petit téléphone d'ordre. Cet équipage me paraissait naturel, tout comme mes gants blancs et mes chaussures de daim. C'est un trait biographique que j'ai en commun avec Jaurès et Lénine. Car les enfances cossues font les bons révolutionnaires, de même que les enfances pauvres font les révoltés, c'est-à-dire les mauvais révolutionnaires.

Ce matin, réveillé par des coups violents frappés à la lucarne du grenier. C'est une grosse pie. Elle s'enfuit en me voyant approcher.

Psychologie alimentaire. Comparer la force de l'habitude qui bloque le petit déjeuner dans une formule pauvre et immuable, et le besoin impératif de faire varier au contraire le menu du déjeuner de midi. Le dîner du soir paraît se situer à mi-chemin de ces deux extrêmes. On le fait varier en principe, mais on s'accommoderait d'une formule invariable — à condition qu'elle soit assez riche.

L'Ange Bizarre. Il se promène à travers le monde et rencontre des scènes banales, laides ou cruelles. Chaque fois, il touche de son aile l'un des acteurs de cette scène, laquelle devient aussitôt originale, gracieuse et douce.

Les grandes découvertes scientifiques influencent plus ou moins la vision concrète que nous avons du monde. Il serait intéressant de faire une histoire des sciences en décrivant à chaque étape le degré de pénétration de la connaissance scientifique dans notre image des choses. Par exemple la révolution copernicienne a complètement échoué sur le plan quotidien : pour tout le monde sans exception — y compris les astronomes de profession — le soleil se lève, décrit une courbe dans le ciel et se couche. Aucun savoir astronomique ne vient à bout de cette évidence. En revanche les découvertes de Pasteur, touchant le rôle des micro-organismes comme causes des maladies infectieuses, sont passées totalement dans les mœurs. Rien de plus naturel que les précautions à prendre pour éviter l'infection, les moyens plus ou moins drastiques à employer pour en venir à bout quand elle est là. C'est que ces découvertes prolongent naturellement les croyances aux principes maléfiques, à l'esprit malin, responsables des maux du corps et de l'esprit, et aux pratiques d'exorcisme propres à les expulser.

G. Flaubert : *C'est une mauvaise chose que de toujours vivre aux mêmes endroits ; les vieux murs laissent tomber sur notre cœur, comme la poussière de notre passé, l'écho de nos soupirs oubliés et le souvenir des vieilles tristesses, ce qui fait une tristesse de plus.*

Le fait est qu'après deux ou trois mois de sédentarité, je sens se dégrader mes relations avec ma maison, mon jardin, mon chat, mes voisins. J'ai horreur de voyager, mais c'est une médication indispensable à mon équilibre.

Cette nuit, je sens contre mon corps endormi des frôlements d'ailes, des battements furtifs. Je dis : il y a des oiseaux dans mon lit. Des oiseaux ou des chauves-souris. Une voix répond : non, ce sont les âmes des morts du cimetière. Depuis des siècles, il y en a des milliers derrière le mur.

Bible. Histoire de Tobie et de Sarah. Tobie épouvanté de devoir épouser Madame Barbe-Bleue, car elle a été sept fois veuve et se trouve néanmoins toujours vierge. « Mais c'est parce que je t'attendais », lui explique-t-elle.

J'ai bien dormi, car mon malheur a dormi lui aussi. Sans doute a-t-il passé la nuit couché en boule sur la descente de lit. Je me suis réveillé avant lui, et j'ai eu quelques secondes de bonheur indicible. Puis il s'est réveillé à son tour et aussitôt il s'est jeté sur moi et m'a mordu au foie.

Gymnastique matinale. Exerce ton corps avant la journée, comme le musicien accorde son instrument avant le concert.

Chateaubriand, *Vie de Rancé* : *Saint Jérôme portait, pour noyer ses pensées dans ses sueurs, des fardeaux de sable le long des steppes de la mer Morte. Je les ai parcourues moi-même ces steppes, sous le poids de mon esprit.* Au demeurant ledit Rancé nous donne un bel exemple d'inversion de toutes les valeurs, préférant la douleur au plaisir, l'ignorance au savoir, la bêtise à l'intelligence, la maladie à la santé, et en bloc la mort à la vie.

Enfant. Pierre (huit ans) se plonge dans *Play Boy*. Il me demande :

« Tu as déjà vu une femme nue en vrai ?

— Bien sûr. À mon âge, ce serait inquiétant.

— Moi jamais. Tu m'en feras montrer ? »

Jean Cocteau sortant d'un dîner disait : « Qu'est-ce que je me serais ennuyé si je n'avais pas été là ! » Ce n'est pas seulement vrai des dîners. Comme la vie serait ennuyeuse si je n'étais pas là avec cette substance grise qui ne cesse de fermenter dans mon crâne et ce drôle de sexe entre mes cuisses !

Sur la plage où se mêlent nudistes et « textiles », il y a donc comme pour les plantes les phanérogames — qui montrent leur sexe — et les cryptogames — qui le cachent.

En consultant mes souvenirs, je m'avise avec stupeur que dans les cas assez rares où on m'a aimé, c'était principalement — mais ne faut-il pas dire exclusivement ? — pour des motifs physiques. Pourtant il me semble que c'est plutôt par la comprenette que je vaux quelque chose ? Ma première réaction est de dénoncer la stupidité d'autrui. Et puis, à la réflexion, je m'accuse d'avoir une intelligence repoussante, un esprit qui émet des ondes négatives, de telle sorte qu'il ne me reste pour séduire que la maigre ressource de mes fesses et de mes biceps. Tout cela est triste et déprimant.

Enfants. À la suite de mon petit conte *La Mère Noël*, j'apprends que dans certaines tribus les femmes ayant accouché sont bien vite renvoyées aux travaux des champs par les hommes, lesquels se chargent d'allaiter le bébé, ayant pour ce faire mangé le placenta. Effet galactogène du placenta, bourré d'hormones féminines. Les chattes mangent leur propre placenta, faute de quoi elles ne pourraient allaiter.

Bernard Shaw : *J'appelle égoïste un homme qui ne pense pas à moi.*

Après la lecture que je lui ai faite de l'Ancien et du Nouveau Testament, Damien (neuf ans) parle de se faire baptiser. Je lui dis :
« As-tu choisi un parrain ?
— Oui, de préférence toi.
— J'ai un grand-oncle qui était curé. Après tous les sujets de scandale que je lui ai donnés, il doit maintenant me bénir du haut du ciel d'amener un enfant au baptême. »
Le plus curieux, c'est que je ne plaisante qu'à moitié.

Dans une basse-cour, la poule blessée est férocement déchiquetée par les autres poules. Grand principe : ne saigne jamais en public !

Le Sosie de Dieu
Conte

Dieu ayant fait le premier homme à son image et à sa ressemblance, rien ne le distinguait de lui. Adam était le Sosie de Dieu. Les anges, les voyant ensemble aller et venir en devisant dans les allées du Paradis, croyaient voir deux frères jumeaux, et bien malin aurait été celui qui aurait pu dire à coup sûr lequel était Dieu, lequel Adam.

À propos de malin, Lucifer, le plus beau des anges, était ulcéré de jalousie à cause de cette ressemblance, et il ne cessait de réfléchir au moyen d'y mettre fin.

Sa première idée fut tout simplement de tuer Adam d'un coup de son épée de flammes. Un jour qu'il le voyait seul sommeiller sous les palétuviers, il abattit son arme sur lui assez fort pour le couper en deux. Mal lui en prit ! Ce n'était pas Adam, c'était Dieu ! Lucifer ne put jamais se laver de l'accusation de tentative de déicide, et c'est ainsi qu'il devint le Prince des Ténèbres.

Mais sa jalousie à l'égard du premier homme ne fit que s'exaspérer, et il continuait à chercher un moyen de le perdre.

Jusqu'au jour où il eut trouvé. Ce jour-là, il souffla à l'oreille de Dieu qu'il n'était pas bon qu'Adam fût seul. Alors Dieu créa Ève. L'affaire était dans le sac.

Dîner au restaurant avec Hans Peter. Entre la poire et le fromage, une femme américaine se précipite sur lui, croyant reconnaître un de ses amis. Elle s'excuse, très confuse. « Ça recommence ! » gémit Hans Peter. Il m'explique ensuite que ce genre de méprise est devenu courant et l'indispose passablement. Les gens qui nous côtoient nous bombardent sans arrêt d'images-souvenirs que nous rejetons, sauvegardant ainsi notre quant-à-soi. Hans Peter a donc la curieuse infirmité d'accueillir au contraire ces images-souvenirs, et de provoquer ainsi des réflexes de reconnaissance aberrants. Dès qu'il voit s'attarder sur lui le regard d'un inconnu, il commence à trembler. Je lui dis qu'il serait intéressant d'interroger les personnes qui l'ont confondu avec un autre, de leur demander de fournir des détails, des photos de cet « autre ». Mais peut-être n'y a-t-il pas d'« autre » justement ? Peut-être Hans Peter donne-t-il une impression de déjà-vu en quelque sorte *absolue*, sans référence à un autre, si vive qu'elle déclenche le réflexe d'abordage ? Dérèglement des rapports humains superficiels. Le phénomène ne se produit, me dit-il, que depuis une dizaine d'années. Savoir quelle évolution ou quel accident l'a provoqué ?

Visite au musée. Le regard affûté par les chefs-d'œuvre, je me laisse bientôt distraire par les autres visiteurs, parmi lesquels je repère bien vite des originaux, des mystérieux, des séduisants. Botticelli, Rembrandt et Van Gogh ne pèsent pas lourd à côté de tel ou tel visage vivant.

Natures mortes. Les mots sont doublement impropres, car il n'y a là généralement ni nature, ni mort, mais des objets fabriqués à certains usages de la vie quotidienne. Tout ce qu'on peut dire, c'est que ces objets ne sont pas présentement utilisés, ils sont pris au repos. En ce sens le hollandais *still lieven* — qui avait donné en vieux français *vie coye* — était mieux approprié.

Au fond, chaque « nature morte » peut être caractérisée par le poids variable de présence-absence humaine qu'elle supporte. L'homme n'étant pas là, son ombre se sent plus ou moins fortement. Par exemple un bouquet de fleurs épanouies ne renvoie que faiblement à l'homme. Bien moins en tout cas qu'une table tout juste abandonnée par les convives, et jonchée de débris et des reliefs d'un gros repas. Il faudrait également faire un sort aux « vanités » qui prétendent assez naïvement nous faire réfléchir en rassemblant un crâne, une fleur fanée, un sablier, un chapelet, etc.

Le véritable sens de la nature morte, c'est plutôt, semble-t-il, de considérer des objets d'usage — normalement oblitérés à nos yeux par leur utilité — hors de tout usage non seulement actuel, mais possible. Leur présence, habituellement très effacée dans notre vie, devient tout à coup exorbitante. Le dessin les fait passer du relatif à l'absolu. La cafetière et le pot à tabac se refusent désormais à contenir du café ou du tabac. Ce sont des archétypes, des idées platoniciennes.

Le baroque. Sa caractéristique la plus simple est la ligne courbe dont il use et abuse, cependant que l'art classique s'en tient à la ligne droite. Or notons bien ceci : la ligne courbe est celle du corps vivant, et singulièrement du corps humain. La droite et la courbe furent donc pendant des millénaires ce qui distingua l'architecte et le sculpteur, qu'ils fussent égyptiens, grecs ou modernes. Le sculpteur épousait les courbes du corps, l'architecte construisait avec les droites de la raison. Or donc avec l'architecture baroque, voici la courbe qui envahit l'édifice. L'architecte vole son bien au sculpteur. L'architecte se met à « sculpter » des palais, des églises. Le charme un peu fou des édifices baroques, c'est leur aspect vivant, biologique, presque physiologique. Certains autels souabes ressemblent à des ventres ouverts avec leurs enroulements roses, leurs coulées vertes, leurs rondeurs mauves. Il y a là des muqueuses et des muscles, des viscères et des veines, et tout cela respire, vibre et rêve. Et il y a aussi du bonheur, une joie allègre, une danse vitale. Les statues des saints ont l'air emportées par une gaieté irrésistible, soulevées par une jubilation trépidante.

Enfants. Ils envahissent la cuisine et mangent tout ce qui leur tombe sous la main. Je leur arrache un paquet de biscuits au son, destinés, dit l'emballage, « à faciliter le transit intestinal ». Je dis : « Ça, c'est pour ceux qui veulent faire demain matin de beaux étrons blonds et dodus. »

Ils crient tous : « Moi, moi, moi ! »

Mon puisard. Depuis toujours, des pluies abondantes entraînaient dans ma cave la formation d'une flaque, qui devenait mare, qui noyait parfois la chaudière. À force de tarabuster mon plombier, le voilà qui creuse au centre de ma cave un trou, aux parois cimentées, d'un mètre de profondeur et de quarante centimètres de côté (donc de cent soixante litres de contenance). C'est ce qu'on appelle un *puisard.* Définition du dictionnaire : égout vertical sans écoulement. J'admire cette définition exacte, mais doublement contradictoire : un égout est un conduit horizontal, servant à l'écoulement des eaux. Depuis, je ne me lasse pas d'observer l'eau qui chaque jour monte ou descend au fond du trou. C'est un miroir noir où se reflète ma tête, et que parcourent parfois de mystérieux frémissements. Une semaine, il s'est trouvé complètement à sec, et j'ai pu voir, et même à grand-peine palper, les viscères fauves de ma maison. Plus tard, peu s'en est fallu qu'il déborde. C'est beaucoup mieux qu'un thermomètre ou un baromètre. C'est l'anus, ou le vagin, ou l'intestin de la maison. Et il faut tenir compte de l'identification que j'ai toujours vécue entre ma maison et moi. Étrange narcissisme qui me fait descendre parfois en pleine nuit pour observer mon puisard. Une fois, rentrant d'un dîner, j'ai trouvé une sorte de bêche dans un chantier à proximité. Elle avait la forme et la longueur voulues pour atteindre le fond du puisard. J'ai peiné deux heures pour tirer du trou par quantités infimes un sac d'une très belle terre rousse probablement tout à fait stérile. Je me demande si je parviendrais à m'y glisser tout entier comme un fœtus. Il faudrait qu'auparavant une retraite sévère me réduise considérablement. Il y a un couvercle de ciment. Si je le rabattais sur ma tête, qui donc viendrait me chercher là ?

Le plombier a parlé de placer au fond une pompe électrique qui évacuerait l'eau dès qu'elle atteindrait un certain niveau. Je n'aimerais pas cette violence mécanique infligée à ma maison dans ce qu'elle a de plus intime et de plus humide.

Enfant. Je remarque un petit pendentif accroché à son pull. Il m'explique : « C'est ma boucle d'oreille. Je la porte là, parce que mon père gueulerait si je la mettais à mon oreille. »

Annie Fratellini : *Quand je me grime en Auguste, j'ai l'impression de me faire belle.*

G.T. me fait observer que les Noirs américains, qui excellent dans toutes les disciplines sportives, n'ont jamais obtenu de résultats en natation. On explique cela par une densité physique supérieure à celle des Blancs qui les désavantagerait. Il y a dans cette explication quelque chose d'un peu fou qui me ravit.

Une petite élève de sixième me demande : « Quand on est un poète, comment fait-on pour le faire savoir aux autres ? »

Livre. Quand je lis un livre mal écrit — ce qui est le cas pour presque toutes les traductions — j'ai l'impression de nager dans de l'eau sale.

Livre. Pour l'écrivain, chaque livre est la cause d'une métamorphose. La grande lassitude, les ressorts débandés, la tristesse, qui suivent la remise d'un nouveau manuscrit à l'éditeur, s'expliquent par une mue profonde : je suis en train de devenir l'auteur de ce livre.

L'homme aux cent camaïeux. Il ne voyait les choses qu'en une seule couleur, dégradée il est vrai, en une variété infinie de tons. Mais cette couleur changeait selon ses sentiments. Était-il calme et d'humeur rêveuse, le monde baignait dans une lumière bleutée. Celle-ci tournait au rouge sanglant si un mouvement de colère venait à s'emparer de son cœur. La mélancolie teintait toutes choses de rayons glauques, etc.

Vieillir. Deux pommes sur une planche pour l'hiver. L'une se boursoufle et pourrit, l'autre se dessèche et se ratatine. Choisis si possible cette seconde vieillesse, dure et légère.

Enfant. Il fume comme une cheminée. Je lui dis :
« Tu es intoxiqué.
— Non, parce que je m'arrêterai quand je voudrai.
— Oui, mais voudras-tu quand tu voudras ? »

Livres. Les taches brunes sur les pages des vieux livres ne sont peut-être que la trace des postillons des lecteurs qui lurent ces livres à haute voix. Trace de l'oral sur l'écrit.

Goethe : *Méfiez-vous des rêves de jeunesse, ils finissent toujours par se réaliser.*

Pluie. Eau douce. Eau distillée par le soleil. Le contraire de l'eau de mer. Pluie sur la mer. Petits champignons d'éclaboussures. Les nuages en passant envoient des baisers d'eau douce à la grande plaine glauque et salée.

Enfants. Mon petit conte *La Mère Noël* — où l'on voit le père Noël déboutonner sa houppelande rouge, écarter sa barbe de coton blanc et, faisant jaillir un sein généreux, allaiter l'enfant Jésus — traduit la frustration du pater nutritor incapable de devenir almus pater. La fellation ne compense pas cette infirmité malgré l'évidente affinité du sperme avec le lait.

L'autre soir au cinéma. À ma gauche, une jeune femme au visage pas plus bête qu'un autre. Pendant toute la durée du film, elle ne cesse d'accompagner les images de faibles cris d'angoisse, de petits rires de mépris, de murmures attendris, etc. Bientôt je prête davantage d'attention à ses réactions qu'au film lui-même, d'ailleurs insipide. Et peu à peu une évidence s'impose à moi : cette femme dort et fait un rêve, et ses émotions percent à travers son sommeil. Et par quelque prodige technique son rêve se déroule aussi devant elle sur un vaste écran, de telle sorte que je fais le même rêve qu'elle, et une cinquantaine d'autres spectateurs avec nous. Nature *hypnotique* du cinéma. Ce qui contribue puissamment à cette impression, c'est la convention tyrannique qui commande tout le film — intrigue, morale, logique, et jusqu'aux visages stéréotypés des acteurs — et que chaque spectateur possède sur le bout du doigt. Moyennant quoi, il adhère sans peine à tout le film, comme à une sécrétion de sa propre conscience.

Aristippe de Cyrène : *Avant de quitter ton lit, demande-toi sept fois s'il est utile aux dieux, au monde et à toi-même que tu te lèves.*

Se réveiller dans une chambre d'hôtel d'une ville étrangère où l'on est arrivé la veille. Nombre de fractions de seconde, et, qui sait, nombre de secondes qu'il faut pour se resituer, sortir du désarroi où l'on s'éveille. Je suis sûr que ce bref laps de temps (ce mot *laps* qui vient du latin *lapsus* convient on ne peut mieux) augmente avec l'âge. Je suis sûr qu'il me faut maintenant plus de temps pour rassembler les fils de ma vie qu'il y a trente ans. Et si le « laps » en question venait à se prolonger ? Ce serait la folie pure et simple, l'irruption nu dans les couloirs de l'hôtel, et la prise à partie des clients et du personnel avec cette lancinante question : voulez-vous me dire où je suis et ce que je fais ici ?

Avec la jubilation du travail bien fait, les journalistes de la télévision rendent compte d'une avalanche de calamités qui fondent sur le pauvre monde, inondations, meurtres, guerres civiles, famines, épidémies. À ce pessimisme béat, je m'efforce d'opposer un optimisme inquiet.

Deux figures majeures de la littérature française appartenant à la même génération : Emma Bovary et Sido. Même époque, même milieu (petite bourgeoisie rurale). Mais alors qu'Emma méprise toute la réalité qui l'entoure — y compris sa fille — et se réfugie dans un romanesque de pacotille, la mère de Colette magnifie tout ce qu'elle touche par son attention et son amour.

Les plus anciennes photos (1855) nécessitant une pose très longue (deux minutes au moins) ne retenaient pas ce qui bougeait, et vidaient les rues et les places de leurs passants, de leurs habitants. La pierre et le monument sont ainsi nettoyés de toute trace de vie, de toute pollution biologique. On songe à la nouvelle bombe à neutrons destinée à tuer toute vie sans provoquer de destructions. Le bébé est liquidé, le berceau reste intact.

Télévision. Des hommes et des femmes ordinaires paraissent chaque jour sur le petit écran à la faveur de l'actualité ou de certains jeux. Spontanément, ils créent un « style » de personnage. C'est du théâtre sauvage, mais il y a tout lieu de croire que les acteurs professionnels doivent tenir compte désormais de cette nouvelle école.

Le prince de Polignac, grand mondain, s'efforçant à la fin de sa vie de tirer la conclusion de toute son expérience, en arrive à cette constatation : « Au fond, je n'aime pas les autres. » Après une vie de solitude, je me dis parfois : « Au fond tu as l'admiration trop facile. Ils n'en méritent pas tant ! »

Je ramasse un autostoppeur qui se présente comme un lycéen de Zurich. Je le dépose deux heures plus tard. Je lui dis en guise d'adieu : *« Ein Glück für dich, dass du keine Zeit hattest mich kennen zu lernen, sonst könntest du nicht mehr weggehen. Die, die mich kennen, können mich nämlich nicht mehr entbehren. »* Il a dû me prendre pour un fou.

Hérissons. Les routes constellées de petits paillassons ensanglantés : des hérissons écrasés. Giraudoux explique ce massacre en disant que tous les hérissons mâles habitent le côté gauche des routes, tous les hérissons femelles le côté droit, et qu'ils se font écraser au cours de leurs visites nuptiales. Ce qui est plus sûr, c'est le rôle de leur réflexe catastrophique : en cas d'alerte, ils s'arrêtent et se mettent en boule, la dernière chose à faire quand survient une voiture. Il faut ajouter qu'ils sont possédés par une bougeotte irrésistible. Régulièrement un hérisson apparaît dans mon jardin. Je lui offre une assiette de lait. Il la sent et accomplit un parcours en cercles concentriques avant de la trouver. Se gave sous l'œil impuissant et dégoûté du chat. Mais rien ne le retient. Le lendemain, il a disparu.

B.F., végétarien, me dit : « La viande, c'est l'homme, le poisson, c'est la femme, deux choses que j'ai éliminées de ma vie. » Lanza del Vasto m'avait dit un jour en me voyant couper un bifteck saignant : « Vous mangez des plaies. »

Chat. Premier printemps de Sacha. Il disparaît des nuits entières et revient le nez et les oreilles en sang. Comme il a toujours aimé suçoter tout ce qu'on lui offre de suçotable — doigt, lobe de l'oreille, etc. — Françoise M., férue de psychanalyse, observe qu'il est passé du stade oral au stade génital sans transition, c'est-à-dire sans passer par la phase de latence qui sépare chez l'homme la petite enfance de la puberté. « C'est sans doute, conclut-elle, que les chats n'ont pas d'inconscient. » Je jette le trouble dans cette belle construction en faisant remarquer que pour chasser, il n'en continue pas moins à suçoter, ce qui dénote une superposition de la phase orale et de la phase génitale...

Eichendorff : *Il y a au fond de chaque chose une mélodie qui sommeille. Elle s'éveillera si tu trouves les paroles qui conviennent.*

Le mot latin *liber* signifie *libre*, *enfant*, *livre*, *écorce* et *vin*. Ces cinq significations possèdent à coup sûr une connotation commune, difficile à cerner, mais profonde, émouvante et belle.

M.G. (quatorze ans) n'est jamais allé chez le coiffeur. Je lui dis : « Sais-tu ce qui va arriver ? Ta mère va t'asseoir sur une chaise dans la cuisine, elle va prendre ses grands ciseaux et, une fois de plus, te faire une perruque de clown ! » Cette perspective pourtant habituelle le révolte, mais le coiffeur se situe à ses yeux entre le dentiste et le chirurgien. Finalement je parviens à l'entraîner chez Jean-Louis, le coiffeur chic de Chevreuse. Après une coupe au rasoir, il sort éberlué et très inquiet des réactions des copains. Mais la portée initiatique de l'opération est évidente. Dans l'Antiquité et au Moyen Âge certains jeunes garçons promis à un avenir prestigieux ne devaient pas se faire couper un seul cheveu. L'aventure de Samson tondu par Dalila habite le subconscient de tous les hommes. Il est d'ailleurs remarquable que les femmes restent une très rare exception dans les « salons-messieurs ». J'ai posé la question à la patronne d'un salon pour dames. Elle m'a fait une réponse aussi surprenante que péremptoire : « Les femmes ne peuvent pas couper les cheveux des hommes, m'a-t-elle dit, parce que c'est trop difficile. » Sous ce prétexte technique se cache à coup sûr un tabou mythologique.

Parlant de son amour « incestueux » pour Hippolyte, la Phèdre de Racine dit :

Ce n'est pas quelque ardeur en mes veines cachée,
C'est Vénus tout entière à sa proie attachée.

Ce qui veut dire : quand l'amour est en cause, évitez les interprétations médico-biologiques, et faites appel à la mythologie. Ceci pour les Diafoirus en blouse blanche qui veulent réduire les sentiments à des affaires de gènes ou de sécrétions endocrines.

Simone Weil : *Un des plaisirs les plus délicieux de l'amour humain : servir l'être aimé sans qu'il le sache.* Je songe à cette question : *Est-ce que ça te regarde, si je t'aime ?* que j'attribuais à J. Cocteau et que j'ai trouvée récemment dans Nietzsche (*Was geht dich's an, wenn ich dich liebe ?* Der Fall Wagner). Il est vrai que Nietzsche cite cette phrase comme une absurdité totale.

Je m'enfonce dans l'hiver à reculons, les yeux fixés sur cet été dont les corps furent si beaux.

L'homme du Verseau, incarné par le petit Manneken-Pis de Bruxelles. Scatologie liquide. Paradis de la bonne miction, abondante, dorée, gazouillante. Enfer de la mauvaise miction (calculs, prostate, blocage des reins, etc.). L'homme qui pisse dans son jardin, le milieu de son corps s'unit à la terre par un cordon liquide. Communion. Le chien qui marque son territoire en levant la patte sur toute sa frontière. Urine + fécondité = purin. Suicide du Verseau : en urinant sur un rail électrifié, le courant remonte le jet et foudroie le pisseux.

Enfants. Une amie, dont le mari aime les garçons, me raconte qu'elle a volé pour le lui offrir l'un des coussinets bleus ornés d'une étoile de David sur lesquels les élèves du collège de Eton posent leurs genoux nus.

Invité à la prison de Fresnes pour m'entretenir avec des détenus, je dis à mes amis : « Demain je vais en prison. » Je constate qu'ils ne s'étonnent pas outre mesure. Visiblement chacun pense : ça devait arriver. Le malentendu me fait voir en eux mon image patibulaire.

Extrême jeunesse des détenus qui m'ont fait venir : la majorité a moins de trente ans. Odeur d'encaustique. « Mise en mouvement » à mon arrivée. Ils circulent dix par dix accompagnés par un surveillant. Intelligence brillante de certains. Niveau nettement plus élevé que celui des Rotary ou Lions-clubs où j'ai été invité.

Parole de mère : « Je déteste ton livre (*Les Météores*) mais je déteste encore plus ceux qui le détestent. »

Mains. On appelait jadis *quadrumanes* certains mammifères doués de quatre mains qu'on préfère désigner aujourd'hui sous le nom de *primates*, et que le bon peuple, lui, a toujours appelés des *singes*. Étrange paradoxe qui veut que l'homme de son côté soit appelé non un *bimane*, mais un *bipède*. Comme si le privilège de l'homme, c'était d'avoir non seulement deux mains, mais surtout deux pieds, ce qui le situe à mi-chemin du chien *quadrupède* et du singe *quadrumane*.

Ainsi donc si l'homme doit une bonne part de son humanité à ses deux mains, ce serait pour lui tomber au niveau du singe, si un caprice de la nature le dotait de deux autres mains à la place de ses pieds. Des mains donc... mais point trop n'en faut ! En vérité, ce qui fait l'homme, c'est la station debout. Comme les membres supérieurs de l'homme sont très brefs, en comparaison de ses membres inférieurs, ses mains se trouvent surélevées, sublimées, projetées dans l'espace. Le pied apporte à la main un précieux contrepoids, une sorte d'alibi qui la dispense — et même lui interdit — de participer à la marche. Toute la dignité humaine se lit dans cet édifice qui superpose un tronc doué de bras courts et de mains à des jambes fines, droites, rapides, terminées par des pieds.

C'est pourquoi il n'est pas d'art qui célèbre la main plus noblement que la danse. On parle volontiers des pieds des danseurs et des danseuses. Ils renvoient toujours dans chacune de leurs positions et figures aux mains, ces petites images d'eux-mêmes, ailées et aériennes.

La démonstration inverse s'administre par la rupture de la solidarité de la main et du corps. C'est l'image de la main coupée, vision d'horreur, et pire encore : la main coupée demeurée vivante, et qui court sur ses doigts. On a reconnu l'araignée dont la malédiction est d'être assimilée à une petite main sèche, amputée, mais douée d'une vélocité de cauchemar.

Main et corps. Pour elle, active, déliée, curieuse, exploratrice, sensuelle, titilleuse, tantôt caressante, tantôt cruelle, le corps est un objet privilégié, son territoire de prédilection, son souffre-douleur, son joui-plaisir, son jouet.

Masturber = *manus turbare*. Troubler avec la main. On disait aussi jadis : se manier.

Mais il n'y a pas que le sexe. On pourrait longuement décrire la relation particulière qu'entretient la main avec chacune des autres parties du corps.

Pied : le tireur d'épine (bronze célèbre du musée du Vatican).

Yeux : se frotter, se boucher, se protéger les yeux. La main peut figurer une visière ; les deux mains une lorgnette, une longue-vue. Elles fournissent aux yeux ce qu'ils ont à examiner de près, tiennent le livre ou le journal à la bonne distance. Ramassent un caillou pour l'offrir au regard, etc.

Cheveux : la main avec ses doigts joue à être un peigne. Elle sert aussi d'oreiller quand le corps est couché sur la dure.

Jeux de mains : les services que la droite rend à la gauche et réciproquement.

La main, comédienne à tout faire. Le membre-frégoli du corps.

Enfant. Il est aveugle de naissance, et je lui fais la lecture à haute voix. Cependant sa main se pose sur mon bras, ou vient se loger dans la mienne. Parfois, timidement, je l'interroge sur ce qu'évoquent certains mots dans son esprit : lumière, ombre, soleil, verdure, feu. Il me dit : « Je sais ce que c'est que l'obscurité : c'est quand je ne te touche plus. » La phrase paraît d'abord échapper à mon attention. Mais peu à peu, me revenant sans trêve ni relâche, elle grandit, grossit, prend des proportions effrayantes. C'est que je me sens de plus en plus indigne de l'entendre.

Le test de l'arbre. Pour déceler la psychologie du « sujet », on lui demande de dessiner un arbre. C'est là que commence le suspens, car il n'y a pas deux arbres identiques, aussi bien dans la nature que sur le papier.

Commençons par les racines. Certains « sujets » omettent purement et simplement de les dessiner. Si on leur fait remarquer leur oubli, ils répondent que l'arbre cache ses racines dans la terre et qu'il ne faut pas faire comme l'enfant qui n'oublie pas de dessiner le nombril du bonhomme habillé qu'il dessine. On peut se satisfaire de cette explication. Mais on peut également définir la nature de la racine, élément nocturne, tellurique, qui assure obscurément à l'arbre à la fois sa nourriture et sa stabilité. Gaston Bachelard allait encore plus loin et voyait dans la racine une étrange synthèse de la vie et de la mort, parce que, inhumée comme un défunt, elle n'en poursuit pas moins sa puissante et secrète croissance.

On comprend dès lors que s'il y a des hommes-racines, qui dans leur dessin privilégient le niveau souterrain de l'arbre, d'autres s'en détournent au contraire instinctivement.

Sans doute accorderont-ils leur préférence au tronc. C'est l'élément vertical de l'arbre, celui qui symbolise l'élan, l'essor, la flèche dressée vers le ciel, la colonne du temple. L'homme d'action doué d'une dimension spirituelle se reconnaît dans cette partie de l'arbre. Il y a autre chose. Le tronc ne fournit pas seulement le mât du navire. C'est lui qui donne le bois, matériau de la planche, de la poutre, du billot. Sa couleur, ses lignes, ses nœuds et même son odeur parlent puissamment à l'imagination.

Mais toute une catégorie d'hommes et de femmes ne se reconnaissent que dans les branches horizontales et leur feuillage. C'est le poumon de l'arbre, les mille et mille ailes qui battent comme pour s'envoler, les mille et mille langues qui murmurent toutes ensemble quand un souffle de vent passe dans l'arbre. Au demeurant, *ramage* signifie à la fois chant et entrelacs de rameaux.

Ainsi chaque arbre rassemble les images des trois grandes familles humaines : les métaphysiciens, les hommes d'action et les poètes. Et il nous apprend en même temps qu'ils sont solidaires, car il ne peut y avoir de frondaison sans tronc, ni de tronc sans racine.

Main. Le cerveau peut bien regarder de haut la main, modeste exécutante de ses décisions. Il n'empêche que la diversité des cinq doigts présente un petit mystère qui le dépasse. En effet, si l'on compare la main aux instruments et outils artificiels de préhension et de manutention — pinces, râteaux, grappins, fourches et fourchettes — on constate que les éléments de ces derniers sont toujours parfaitement semblables entre eux, tandis que les doigts de la main possèdent chacun une personnalité qui reste énigmatique. L'esprit s'interroge et balbutie en face de cette diversité bizarre. Sa perplexité se traduit dans les justifications fantaisistes que suggèrent les noms mêmes attribués à chacun des doigts. Car s'il peut importer d'avoir un doigt qui pointe, qui désigne, qui dénonce — l'index —, il semble moins évident que l'auriculaire soit prévu pour se gratter le fond de l'oreille, et l'annulaire pour porter l'anneau conjugal. Quant à ce grand dadais de majeur, personne ne peut dire au juste pourquoi il dépasse en taille les autres doigts. Il n'y a que le pouce dont la faculté de s'opposer aux autres doigts semble si fondamentale et si nouvelle dans l'évolution des espèces, qu'on a voulu y voir la caractéristique même de l'être humain. Et dans une hyperbole admirable, Paul Valéry jette un pont entre cette opposabilité du pouce humain et la faculté — la conscience — que possède l'esprit humain de se penser lui-même.

Saisons. Elles sont notre tourment et notre salut. Mauvaise saison. Pluie, froid, nuit et brouillard. Mais la terre labourée a un besoin vital d'une forte gelée pour demeurer fertile et saine...

Après un séjour au Gabon — où l'on baigne douze mois sur douze dans la même touffeur, où chaque arbre fleurit, fructifie et perd ses feuilles selon son rythme personnel et indépendamment des autres, où chaque jour de l'année le soleil se lève et se couche à la même heure — on apprécie au retour l'ordre de la grande horloge saisonnière, malgré ses rudesses.

Et puis il y a les fêtes. Paul Valéry se demandait quelles pouvaient être les chances de réussite du christianisme dans les pays où le pain et le vin sont ressentis comme des produits exotiques. C'est encore plus vrai des pays dont les saisons ne sont pas les nôtres.

25 mars, Annonciation. L'acte d'amour divin par lequel Marie est fécondée par l'Esprit se situe au seuil du printemps. Pâques, fête de la Résurrection de Jésus, prend place au moment où la vie sortant du tombeau de l'hiver, éclate à nos fenêtres. Fête-Dieu dans l'épanouissement floral de juin. Veillée de Noël aux nuits les plus longues de l'année, etc.

Mais c'est surtout la célébration de la beauté physique de Jésus qui tombe admirablement le 6 août. Ce jour-là, Jésus, accompagné de Pierre, Jacques et Jean, gravit le mont Thabor, et là soudain il se révèle à eux dans toute sa divine splendeur. « Son visage resplendit comme le soleil », dit Matthieu. Plus discret et plus mystérieux, Luc écrit : « Pendant qu'il priait, l'aspect de son visage devint autre. » La joie qui rayonne sur les témoins est si vive, que Pierre naïvement propose de dresser des tentes sur place et de rester là pour toujours. Combien de fois n'avons-nous pas rêvé en effet dans un musée, devant un chef-d'œuvre, de ne plus partir, de demeurer toujours dans le rayonnement chaleureux de la beauté ?

Or cette fête de la Transfiguration est célébrée le 6 août de l'an. On ne pouvait mieux choisir. Qu'est-ce donc que le 6 août ? C'est le sommet de l'été. Après cette date il ne peut que ravaler. La beauté a atteint son zénith. Tout le monde est en vacances. On est arrivé depuis une semaine maintenant. Les corps bronzés sentent bon le sel et le sable. La nudité a repris ses droits. C'est la grande fête de la chair réhabilitée, arrachée aux ténèbres paléotestamentaires des vêtements et rendue à l'innocence adamique de l'air et du soleil.

Composition SEP 2000
Photogravure Haudressy Arts Graphiques
Impression Jean Mussot
Papier Offset à grains ivoiré Arjomari
Brochage SIRC
Achevé d'imprimer le 20 janvier 1984
Dépôt légal : janvier 1984
ISBN 2-07-070058-51. Imprimé en France

33089